Le petit livre

GALETTES ST MICHEL®

CATHERINE QUEVREMONT
Photographies d'Ilona Chovancova

MARABOUT

SOMMAIRE

60

34

58

38

14

42

18

52

12

KIT SANDWICHS

POUR 4 PERSONNES

SANDWICH GLACÉ
8 GRANDES GALETTES ST MICHEL 1905®,
sorbet à la framboise, glace chocolat
ou menthe

Monter le sandwich en répartissant la glace
sur 1 galette (si possible s'aider d'un
emporte-pièce aux dimensions du biscuit),
puis en refermant avec une autre galette.

SANDWICH AU MASCARPONE
& À LA CONFITURE
8 GALETTES ST MICHEL®, 4 cuillerées
à soupe de mascarpone, 4 cuillerées à soupe
de confiture (fraise, framboise, abricot
ou cerise)

Fouetter le mascarpone avec la confiture.
Déposer une bonne couche du mélange
entre 2 GALETTES ST MICHEL®.

SANDWICH AU LEMON CURD
8 GALETTES ST MICHEL®, 50 g de beurre
doux, 150 g de sucre glace, 1 gros citron
2 œufs, 1 cuillerée à café de Maïzena

Couper le citron en quartiers, ôter les
extrémités et les filaments blancs du milieu.
Le mixer. Battre les œufs et le sucre, ajouter
le citron mixé et la Maïzena. Faire chauffer
doucement, au bain-marie, en ajoutant, tout
en continuant de fouetter, le beurre coupé
en petits morceaux. Lorsque le lemon curd
a épaissi, laisser refroidir. Déposer une
bonne couche de lemon curd entre
2 GALETTES ST MICHEL®.

SANDWICH AU SORBET MAISON
8 GALETTES ST MICHEL®, 300 g de baies
de cassis (ou mûres) surgelées, 3 cuillerées
à soupe d'eau, 100 g de sucre glace

Mixer ensemble les baies, le sucre
et l'eau pour obtenir un granité. Pour
une consistance plus ferme, remettre
à congeler 1 heure. Répartir le sorbet
entre 2 GALETTES ST MICHEL®.

KIT TARTELETTES

POUR 4 PERSONNES

TARTELETTES
12 GALETTES ST MICHEL®, 75 g de beurre demi-sel

Mixer finement les galettes. Les mélanger avec le beurre mou. En tapisser le fond des moules à tartelettes en appuyant bien. Réserver 2 heures au réfrigérateur. Faire cuire à four chaud 20 minutes.

TARTELETTES AU CITRON
6 cuillerées à soupe de lemon curd, 4 rondelles de citron confit

Garnir le fond des tartelettes de lemon curd et décorer de rondelles de citron confit.

TARTELETTES À LA CRÈME DE MARRON
1 boîte de 500 g de crème de marron, 2 feuilles de gélatine, 10 cl de crème fraîche, brisures de marron glacé

Tremper la gélatine 10 minutes dans de l'eau froide. Faire chauffer la crème fraîche, incorporer la gélatine essorée à la crème puis ajouter la crème de marron. En garnir le fond des tartelettes. Décorer le dessus de brisures de marrons glacé.

TARTELETTES AUX FRAMBOISES
200 g de framboises, 2 jaunes d'œufs, 40 g de sucre en poudre, 2 cuillerées à soupe de farine, ½ gousse de vanille, 20 cl de lait

Faire bouillir le lait avec la ½ gousse de vanille coupée en deux dans la longueur. Fouetter ensemble les jaunes d'œufs, le sucre et la farine. Ajouter le lait, continuer de fouetter et remettre à cuire doucement jusqu'à épaississement de la crème. Écraser les framboises à la fourchette, les mélanger à la crème et en remplir le fond des tartelettes.

TARTELETTES CHOCO-BANANE & PISTACHES
200 g de chocolat noir à 70 %, 1 cuillerée à soupe de crème fraîche, 2 cuillerées à soupe de pistaches en poudre, 2 bananes, le jus de 1 citron

Faire fondre le chocolat au bain-marie. Hors du feu, mélanger avec la crème fraîche et la poudre de pistache. Verser dans le fond des tartelettes cuits puis décorer de rondelles de bananes citronnées.

KIT TRIFLE

POUR 4 PERSONNES

TRIFLE
8 GALETTES ST MICHEL®, 200 g de mascarpone, 20 cl de crème fleurette, 3 cuillerées à soupe de sucre glace

Mixer finement les GALETTES ST MICHEL®. Répartir les miettes dans le fond de 4 verres. Monter la crème fleurette en chantilly avec le sucre glace. Ajouter le mascarpone et mélanger. Réserver.

TRIFLE AU CARAMEL AU BEURRE SALÉ
20 cl de crème fleurette, 200 g de sucre glace, 25 g de beurre demi-sel

Faire chauffer la crème fleurette avec le sucre glace et le beurre à feu doux. Bien mélanger jusqu'à obtenir un caramel. Répartir le caramel dans chaque verre puis recouvrir de mélange mascarpone–chantilly.

TRIFLE AUX FRAMBOISES
250 g de framboises

Répartir les framboises dans les verres puis recouvrir de mélange mascarpone-chantilly Décorer avec quelques framboises.

TRIFLE AUX DEUX CHOCOLATS
200 g de chocolat noir, 100 g de chocolat blanc, 10 cl de crème fleurette

Faire fondre séparemment au bain-marie, les deux chocolats. Hors du feu, ajouter dans chacun la moitié de la crème fleurette et remuer. Mélanger ensemble les chocolats en laissant apparaître des marbrures. Répartir la préparation au chocolat dans chaque verre et recouvrir de mélange mascarpone-chantilly. Décorer avec des copeaux de chocolat.

TRIFLE AUX FRUITS CONFITS
300 g de fruits confits coupés en petits dés, 3 cl de kirsch, 4 cuillerées à soupe de crème pâtissière

Laisser macérer les fruits confits dans le kirsch pendant 1 heure. Les mélanger avec la crème pâtissière. Déposer un peu de mélange fruits confits-crème dans chaque verre puis recouvrir de mélange mascarpone-chantilly. Décorer avec des fruits confits.

CRUMBLE AUX FRUITS ROUGES

20 MIN DE PRÉPARATION – 30 MIN DE CUISSON

POUR 4 PERSONNES

8 COCOTTES
CÉRÉALES GRAINES
ST MICHEL®

2 cuillerées à soupe
de cassonade

200 g de framboises

50 g de mûres

50 g de cassis

50 g de groseilles

1 jus de citron

50 g de beurre demi-sel

1- Préchauffer le four à 180 °C.

2- Mixer les COCOTTES®. Mélanger les miettes de biscuits avec la cassonade.

3- Répartir dans 4 plats individuels les fruits rouges et les arroser de jus de citron. Recouvrir les fruits avec les miettes de biscuits. Disposer sur chaque plat quelques petits morceaux de beurre.

4- Enfourner pour 30 minutes.

PÊCHES RÔTIES

20 MIN DE PRÉPARATION – 20 MIN DE CUISSON

POUR 4 PERSONNES

4 pêches blanches
ou jaunes

8 GALETTES
ST MICHEL®

1 œuf

50 g de sucre roux

15 cl de crème fraîche
épaisse

50 g de beurre demi-sel

1- Pocher les pêches 5 minutes dans de l'eau bouillante,
les rafraîchir sous l'eau froide, les peler, ôter leur noyau.
Poser les demi-pêches dans un plat à four.
2- Mixer finement les GALETTE ST MICHEL®.
3- Dans un saladier, fouetter ensemble l'œuf, le sucre roux, la
crème, le beurre fondu et la poudre de galette.
4- Recouvrir chaque demi-pêche de cette préparation.
Enfourner et faire cuire 20 minutes.

QUATRE-QUARTS AUX POMMES

20 MIN DE PRÉPARATION – 50 MIN DE CUISSON

POUR 6 PERSONNES

4 œufs

beurre (le même poids que les œufs)

sucre (le même poids que les œufs)

GALETTES ST MICHEL®
(le même poids que les œufs)

3 grosses pommes

1- Séparer les blancs des jaunes. Mélanger le beurre ramolli avec le sucre. Ajouter ensuite, un par un, les jaunes d'œufs et les GALETTES ST MICHEL® réduites en miettes.

2- Monter les blancs en neige ferme et les incorporer à la préparation précédente.

3- Préchauffer le four à 180 °C. Éplucher les pommes, les couper en quartiers puis les ranger dans le fond d'un moule à manqué à revêtement anti-adhésif. Verser la pâte sur les pommes.

4- Enfourner et faire cuire 50 minutes. À la sortie du four, retourner le gâteau sur un plat de service.

TATIN AUX POMMES À LA NORMANDE

35 MIN DE PRÉPARATION – 35 MIN DE CUISSON

POUR 6 PERSONNES

**16 GALETTES
ST MICHEL®**

10 cl de crème fleurette

75 g de beurre demi-sel

6 grosses pommes

50 g de cassonade

3 cuillerées à soupe
de calvados

1- Réduire les GALETTES ST MICHEL® en miettes.
2- Dans le bol du mixeur, verser progressivement la crème fleurette et 50 g de beurre fondu. Mixer pour obtenir une pâte compacte.
3- Éplucher les pommes et les couper en quartiers. Faire chauffer le reste du beurre et le sucre dans une poêle, y faire sauter les pommes. Flamber avec le calvados.
4- Préchauffer le four à 200 °C. Dans le fond d'un moule à manqué à revêtement anti-adhésif, déposer les quartiers de pomme. Verser la pâte sur les pommes et bien aplanir avec les mains.
5- Enfourner et faire cuire 35 minutes. Cette tarte peut être accompagnée d'une chantilly parfumée au calvados.

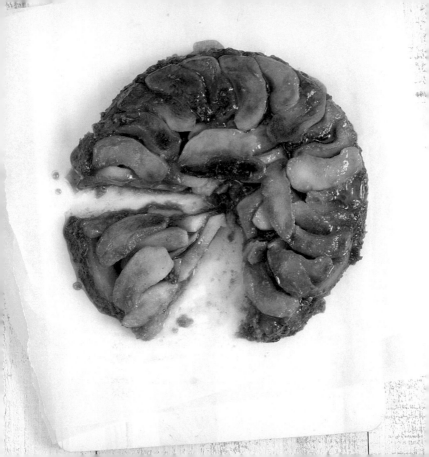

RIZ AU LAIT CRAQUANT

20 MIN DE PRÉPARATION – 30 MIN DE CUISSON

POUR 4 PERSONNES

50 cl de lait

50 g de sucre vanillé

100 g de riz rond

1 pincée de sel

4 GALETTES
ST MICHEL®

1- Dans une casserole, faire chauffer le lait avec le sucre vanillé. Réserver.

2- Laver le riz. Dans une casserole, verser le riz puis couvrir d'eau et ajouter le sel. Porter à ébullition et arrêter la cuisson au premier bouillon. Égoutter le riz.

3- Verser le riz dans le lait et faire cuire à couvert, doucement, pendant 30 minutes.

4- Concasser les GALETTES ST MICHEL®. Lorsque le riz est tiède, le mélanger aux miettes de galettes.

TARTE AUX FIGUES

15 MIN DE PRÉPARATION – 30 MIN DE CUISSON

POUR 4 PERSONNES

500 g de figues

8 COCOTTES
CÉRÉALES GRAINES
ST MICHEL®

1 rouleau de pâte brisée

25 g de cassonade

30 g de beurre salé

1- Couper l'extrémité des figues puis les couper en 2 dans le sens de la hauteur. Ranger les figues sur leur section dans le fond d'un moule à manqué à revêtement antiadhésif.

2- Préchauffer le four à 180 °C.

3- Mixer les COCOTTES®. Répartir des petits morceaux de beurre sur les figues puis parsemer de miettes de biscuit. Recouvrir avec la pâte brisée.

4- Faire une petite cheminée au centre de la pâte et enfourner. Laisser cuire 30 minutes.

POLONAISE

20 MIN DE PRÉPARATION – 3 MINUTES DE CUISSON

POUR 4 PERSONNES

4 petites brioches

4 GALETTES
ST MICHEL®

4 cuillerées à soupe
de crème anglaise

150 g de fruits confits
coupés en dés

3 blancs d'œufs

50 g de sucre glace

1- Couper le chapeau des brioches et évider l'intérieur.
2- Réduire en miettes les GALETTES ST MICHEL®
et les mélanger à la crème anglaise et aux fruits confits.
Garnir l'intérieur des brioches de cette préparation.
3- Monter les blancs en neige ferme avec le sucre glace.
4- Poser les brioches dans un plat à four, les recouvrir
de meringue et les faire dorer rapidement sous le gril du four.

CRÈME BRÛLÉE

2 MIN DE PRÉPARATION – 1 H 15 DE CUISSON – 3 H DE RÉFRIGÉRATION

POUR 4 PERSONNES

8 jaunes d'œufs

80 g de sucre en poudre

60 cl de crème fleurette

6 GALETTES
ST MICHEL®

4 cuillerées à soupe
de cassonade

50 g de beurre salé

1- Préchauffer le four à 90 °C.
2- Fouetter les jaunes d'œufs avec le sucre jusqu'à ce que le mélange blanchisse.
3- Faire chauffer, sans laisser bouillir, la crème fleurette puis la verser sur les œufs et bien mélanger.
4- Verser la crème dans 4 plats individuels et les faire cuire au bain-marie pendant 1 h 10. Laisser refroidir puis réserver au réfrigérateur.
5- Au moment de servir, sortir les crèmes du réfrigérateur, émietter sur le dessus les GALETTES ST MICHEL®, saupoudrer de cassonade et répartir le beurre coupé en petits morceaux. Passer sous le gril du four pour caraméliser.

PUDDING

15 MIN DE PRÉPARATION – 40 MIN DE CUISSON – 2 H DE REFROIDISSEMENT

POUR 6 PERSONNES

20 GALETTES
ST MICHEL®

100 g de sucre en poudre

125 g de poudre
d'amandes

100 g de beurre doux

2 cuillerées à soupe de
rhum

50 g de raisins
de Corinthe

50 g de raisins de Smyrne

6 œufs

15 cl de lait

1- Fouetter le sucre en poudre, les amandes en poudre, le beurre ramolli et le rhum.

2- Ajouter tous les raisins puis les œufs un à un et bien mélanger.

3- Verser un peu de cette préparation dans des petits moules individuels beurrés. Poser une rangée de galettes imbibées de lait, y verser à nouveau la préparation puis encore une couche de galettes imbibées, et ainsi de suite.

4- Poser les moules dans un plat allant au four et verser de l'eau à mi-hauteur des moules. Enfourner et faire cuire au bain-marie 40 minutes. Après refroidissement, démouler sur un plat de service.

PETITES CRÈMES AUX GALETTES ST MICHEL®
& PRUNEAUX

5 MIN DE PRÉPARATION – 5 MIN DE CUISSON

POUR 4 PERSONNES

2 cuillerées à soupe
de Maïzena

50 cl de lait

2 sachets de sucre vanillé

50 g de sucre en poudre

4 cuillerées à soupe de
pâte de pruneaux

4 GALETTES
ST MICHEL®

1- Délayer la Maïzena dans un grand bol avec un peu de lait froid.

2- Dans une casserole, verser le lait restant avec les sucres et la pâte de pruneaux. Mélanger et porter à ébullition.

3- Ajouter la Maïzena délayée dans le lait et laisser cuire 5 minutes.

4- Concasser les GALETTES ST MICHEL® et répartir dans le fond de 4 petits pots. Ajouter la préparation et laisser refroidir complètement.

MONT-BLANC

35 MIN DE PRÉPARATION – 2 H DE RÉFRIGÉRATION

POUR 4 PERSONNES

2 feuilles de gélatine

1 boîte de crème
de marron

4 petites meringues

**4 GRANDES GALETTES
ST MICHEL® 1905**

50 cl de crème fleurette

50 g de sucre glace

1- Faire ramollir les feuilles de gélatine 10 minutes dans de l'eau froide.

2- Dans une casserole, faire chauffer à feu doux la moitié de la crème de marron, ajouter la gélatine essorée et bien mélanger.

3- Tapisser 4 moules individuels de film alimentaire. Verser la moitié de la crème de marron préparée, ajouter les morceaux de meringue et les GALETTES ST MICHEL® concassées. Terminer en versant le reste de la crème de marron. Recouvrir de film alimentaire, tasser un peu et réserver au réfrigérateur.

4- Monter la crème fleurette en chantilly avec le sucre glace.

5- Ôter le film des moules et les renverser sur une assiette à dessert. Recouvrir les mont-blanc avec la crème de marron restante puis la chantilly. Réserver au frais jusqu'au moment de servir.

PÂTE À TARTINER

15 MIN DE PRÉPARATION – 5 MIN DE CUISSON

**POUR I POT
À CONFITURE**

**10 GALETTES
ST MICHEL AUX
PEPITES DE CHOCOLAT®**

**200 g de chocolat noir
à 70 %**

50 g de pralin en poudre

15 cl de crème fraîche

30 g de sucre glace

1- Réduire les GALETTES ST MICHEL® en poudre fine. Mélanger intimement avec le pralin en poudre et le sucre glace.

2- Faire fondre le chocolat au bain-marie. Hors du feu, ajouter la crème fraîche et mélanger.

3- Mélanger ensemble les deux préparations. Conserver cette pâte à tartiner au réfrigérateur, dans un bocal fermé.

GALETTE FAÇON PAIN PERDU

20 MIN DE PRÉPARATION – 10 MIN DE CUISSON

POUR 4 PERSONNES

2 œufs

40 g de sucre en poudre

15 cl de lait

2 cuillerées à soupe de rhum

50 g de beurre

8 GRANDES GALETTES ST MICHEL 1905®

30 g de sucre glace

1- Battre les œufs avec le sucre, le lait et le rhum.
2- Dans une poêle, faire fondre le beurre à feu doux. Tremper les GRANDES GALETTES ST MICHEL® une à une dans le mélange aux œufs, puis les faire dorer sur les 2 faces.
3- Au fur et à mesure, déposer les biscuits sur du papier absorbant et les saupoudrer de sucre glace.

PETITES BOUCHÉES AU CAFÉ & AUX NOIX

25 MIN DE PRÉPARATION – 25 MIN DE CUISSON

POUR 20 BOUCHÉES

200 g de cerneaux
de noix

2 dosettes de café
soluble

2 œufs

150 g de sucre en poudre

15 GALETTES
ST MICHEL®

75 g de beurre ramolli

1 cuillerée à café d'extrait
de café

1- Préchauffer le four à 180 °C.

2- Mettre de côté 20 cerneaux de noix et mixer le reste.

3- Diluer le café dans un peu d'eau et le mélanger aux noix mixées.

4- Séparer les blancs des jaunes d'œufs. Battre les jaunes avec le sucre jusqu'à ce que le mélange blanchisse. Ajouter les GALETTES ST MICHEL® réduites en miettes, le beurre ramolli, l'extrait de café, la mixture de noix au café.

5- Monter les blancs en neige et les mélanger à la préparation précédente.

6- Verser la pâte dans des petits moules souples. Poser un cerneau de noix sur chaque gâteau. Enfourner et faire cuire 25 minutes. Démouler à la sortie du four.

VERRINES MOUSSE AU CAFÉ & CHANTILLY MAISON

25 MIN DE PRÉPARATION

POUR 4 PERSONNES

MOUSSE AU CAFÉ

200 g de mascarpone

3 blancs d'œufs

1 cuillerée à café d'extrait de café

25 g de sucre glace

POUR LA CHANTILLY

25 cl de crème fleurette

50 g de sucre glace

4 GRANDES GALETTES ST MICHEL 1905®

1- Monter les blancs en neige ferme avec le sucre glace. Ajouter le mascarpone, l'extrait de café puis mélanger.
2- Monter la crème fleurette en chantilly avec le sucre glace.
3- Réduire les GRANDES GALETTES ST MICHEL 1905® en miettes.
4- Répartir dans le fond de 4 verres, la mousse au café, puis une couche de biscuits et terminer par la chantilly.

BARRES DE CÉRÉALES

20 MIN DE PRÉPARATION – 5 MIN DE CUISSON – 2 H DE RÉFRIGÉRATION

POUR 10 BARRES

15 GALETTES
ST MICHEL®

150 g de chocolat noir

75 g de céréales avec
copeaux de chocolat

15 cl de crème fleurette

8 cuillerées à soupe de
beurre de cacahuètes

50 g de noix concassées

6 oreillons d'abricots
coupés en dés

50 g de noisettes

50 g de raisins gonflés
dans du thé

1 - Concasser grossièrement les GALETTES ST MICHEL®.
2 - Faire fondre le chocolat au bain-marie puis le mélanger
avec la crème fleurette.
3 - Verser la crème au chocolat sur 2 cm de hauteur dans
un moule carré garni de papier sulfurisé. Faire prendre 15
minutes au réfrigérateur.
4 - Mélanger les morceaux de GALETTES ST MICHEL® avec
les raisins, les noix, les abricots et les noisettes concassées,
les céréales et la moitié du beurre de cacahuètes.
5 - Étaler le reste du beurre de cacahuètes sur la pâte de
chocolat durcie puis répartir sur 3 à 4 cm le mélange aux
céréales. Laisser prendre 2 heures minimum au réfrigérateur
avant de découper en barres individuelles.

GALETTES ST MICHEL® HABILLÉES

15 MIN DE PRÉPARATION – 5 MIN DE CUISSON

**POUR 12 GALETTES
ST MICHEL®**

100 g de chocolat noir

100 g de chocolat blanc

100 g de chocolat praliné

25 cl de crème fleurette

**12 GALETTES
ST MICHEL®**

**éclats de caramel au
beurre salé, sucre coloré,
vermicelles chocolat**

1- Faire fondre au bain-marie séparément les 3 chocolats.
Allonger chaque chocolat fondu d'un peu de crème fleurette.
2- Napper le dessus de chaque GALETTE ST MICHEL® de
chocolat fondu au choix.
3- Déposer les galettes chocolatées sur un plat et les
saupoudrer d'éclats de caramel au beurre salé, de sucre
coloré ou bien de vermicelles chocolat.

CHEESE-CAKE À LA POIRE

30 MIN DE PRÉPARATION – I H I5 DE CUISSON – I H DE REPOS

**POUR 6 À 8
PERSONNES**

3 poires au sirop

16 GALETTES
ST MICHEL®

80 g de beurre

350 g de ricotta

350 g de fromage frais
à tartiner

100 g de sucre en poudre

1 sachet de sucre vanillé

3 œufs

1- Préchauffer le four à 180 °C.

2- Egoutter les poires. Les couper en petits dés en réservant quelques jolies tranches pour la décoration. Déposer les dés de poire dans un tamis pour égoutter.

3- Mixer les GALETTES ST MICHEL® et les mélanger avec le beurre fondu. Dans le fond d'un moule à charnière, de 20 cm de diamètre, garni de papier cuisson, tasser la pâte de biscuit. Enfourner et faire cuire 15 minutes.

4- Mixer ensemble la ricotta, le fromage frais, les sucres, les dés de poires égouttés puis les œufs un par un.

5- Verser cette préparation dans le moule sur la pâte de biscuit. Enfourner et laisser cuire 1 heure.

6- Entrouvrir la porte du four et laisser cuire le gâteau encore 15 minutes. Laisser refroidir puis démouler. Avant de servir, décorer le cheese-cake avec les tranches de poire.

PARFAIT AUX GALETTES ST MICHEL®

20 MIN DE PRÉPARATION – 3 H DE CONGÉLATION – 30 MIN DE RÉFRIGÉRATION

POUR 4 PERSONNES

4 jaunes d'œufs

80 g de sucre glace

30 cl de crème fraîche

10 GALETTES
ST MICHEL®

1- Dans un saladier en inox, mettre les jaunes d'oeufs avec la moitié du sucre. Placer le saladier dans une casserole d'eau bouillante. Fouetter jusqu'à ce que le mélange blanchisse. Ôter le saladier du bain-marie et continuer de fouetter jusqu'à ce que le mélange refroidisse.

2- Monter la crème fraîche en chantilly avec le reste du sucre.

3- Mixer finement les GALETTES ST MICHEL®.

4- Mélanger délicatement le tout puis verser dans un moule à cake. Réserver 3 heures au congélateur.

5- Placer le moule 30 minutes au réfrigérateur avant de servir.

TIRAMISU CLASSIQUE AU CAFÉ

25 MIN DE PRÉPARATION – 2 H DE RÉFRIGÉRATION

POUR 4 PERSONNES

3 œufs

50 g de sucre en poudre

250 g de mascarpone

12 GALETTES
ST MICHEL®

2 cuillerées à soupe de
rhum ambré

20 cl de café fort froid

cacao amer en poudre

1- Séparer les blancs des jaunes d'œufs, fouetter les jaunes avec le sucre jusqu'à obtenir un mélange mousseux. Ajouter le mascarpone, continuer de fouetter jusqu'à ce que le mélange épaississe.

2- Monter les blancs en neige très ferme puis les incorporer au mélange précédent.

3- Mélanger le rhum et le café puis y faire tremper une à une les GALETTES ST MICHEL®.

4- Dans le fond d'un moule, déposer une fine couche de crème. Disposer par-dessus une couche de biscuits imbibés. Ajouter une couche de crème puis une seconde couche de biscuits. Terminer par une couche de crème et saupoudrer de cacao amer. Réserver au réfrigérateur pour 2 heures minimum.

BOULE MYSTÈRE

10 MIN DE PRÉPARATION – 15 MIN DE CUISSON – 3 H DE CONGÉLATION

POUR 4 PERSONNES

50 cl de lait

1 gousse de vanille

4 jaunes d'œufs

60 g de sucre

6 GALETTES
ST MICHEL®

1- Dans une casserole, porter à ébullition le lait avec la gousse de vanille fendue en 2 dans le sens de la longueur.

2- Fouetter les jaunes avec le sucre.

3- Verser le lait chaud doucement sur les œufs, en fouettant sans cesse.

4- Reverser la préparation dans la casserole, remettre à chauffer à feu doux et tout en fouettant, laisser épaissir la crème.

5- Versez la préparation dans un bac à glace et la laisser refroidir avant de la mettre à congeler.

6- Réduire les GALETTES ST MICHEL® en miettes. Au moment de servir, rouler chaque boule de glace dans les miettes de biscuits. Servir aussitôt.

GLACE CROQUANTE AU CARAMEL AU BEURRE SALÉ

10 MIN DE PRÉPARATION – 20 MIN DE CUISSON – 3 H DE CONGÉLATION

POUR 4 PERSONNES

200 g de sucre glace

20 cl de crème fleurette

25 g de beurre demi-sel

50 cl de lait

4 jaunes d'œufs

30 g de sucre en poudre

10 GALETTES ST MICHEL®

1- Dans une casserole, déposer le sucre glace et le recouvrir d'eau. Porter à petits bouillons jusqu'à ce que ça caramélise.

2- Verser la crème fleurette en fouettant vivement. Hors du feu, ajouter progressivement le beurre coupé en petits morceaux en mélangeant bien.

3- Porter à ébullition le lait. Fouetter les jaunes d'œufs avec le sucre. Lorsque le mélange est mousseux, verser le lait chaud très doucement en continuant de fouetter.

4- Mélanger le caramel au beurre salé avec la crème et bien mélanger. Laisser refroidir puis ajouter les GALETTES ST MICHEL® concassées : il faut qu'il reste encore des petits morceaux qui seront croquants sous la dent. Réserver le tout au congélateur pendant 3 heures.

BROWNIES AUX GALETTES ST MICHEL®

15 MIN DE PRÉPARATION – 30 MIN DE CUISSON

POUR 10 BROWNIES

200 g de chocolat noir

200 g de beurre

16 GALETTES ST MICHEL®

4 œufs

200 g de cassonade

½ sachet de levure chimique

50 g de noix de pécan

1- Préchauffer le four à 180 °C.

2- Faire fondre le chocolat et le beurre puis laisser tiédir.

3- Concasser les GALETTES ST MICHEL® grossièrement.

4- Faire griller les noix de pécan dans une poêle antiadhésive puis les concasser.

5- Ajouter, un à un, les œufs au chocolat fondu. Incorporer la cassonade, les morceaux de GALETTES ST MICHEL®, la levure puis les noix de pécan.

6- Garnir un plat rectangulaire de papier sulfurisé puis verser la préparation. Enfourner et laisser cuire 30 minutes. Laisser refroidir avant de démouler puis de couper en carrés.

CHARLOTTES AUX NOISETTES

20 MIN DE PRÉPARATION – 12 H DE RÉFRIGÉRATION

POUR 6 PERSONNES

2 dosettes de café
soluble

1 cuillerée à soupe de
rhum

50 cl de crème épaisse

25 g de sucre glace

150 g de noisettes

16 GALETTES
ST MICHEL®

1- Diluer le café dans 25 cl d'eau additionnée de rhum.
2- Monter la crème fraîche en chantilly très ferme avec le sucre glace.
3- Mixer finement les noisettes et 6 GALETTES ST MICHEL®
puis les mélanger à la chantilly.
4- Imbiber le reste des GALETTES ST MICHEL® dans le café.
En tapisser le fond et les bords d'un moule à charlotte garni de
film alimentaire.
5- Ajouter la préparation à base de noisette. Terminer par une
dernière couche de biscuits imbibés. Refermer le film
alimentaire. Poser une assiette avec un poids sur le moule et
réserver au réfrigérateur toute une nuit. Le lendemain,
renverser la charlotte sur un plat à dessert.

MOUSSE AU CHOCOLAT CROQUANTE

20 MIN DE PRÉPARATION – 12 H DE RÉFRIGÉRATION

POUR 4 PERSONNES

4 œufs

200 g de chocolat noir

1 cuillerée à soupe de café soluble

1 pincée de sel

6 GALETTES ST MICHEL AUX PEPITES DE CHOCOLAT®

1- Diluer le café dans un peu d'eau.

2- Faire fondre au bain-marie, le chocolat arrosé de café.

3- Réduire en poudre les GALETTES ST MICHEL®.

4- Séparer les jaunes des blancs d'œufs. Ajouter les jaunes, un à un, dans le chocolat fondu en mélangeant bien puis la poudre de GALETTES ST MICHEL®.

5- Battre les blancs en neige très ferme avec le sel. Mélanger délicatement au chocolat. Réserver la mousse au réfrigérateur pour toute une nuit.

TERRINE POIRE, CHOCO & COCO

20 MIN DE PRÉPARATION – I NUIT DE RÉFRIGÉRATION

POUR 8 PERSONNES

1 paquet de GALETTES
ST MICHEL®

200 g de chocolat noir

200 g de beurre

1 boîte de poires au sirop

2 œufs

75 g de sucre en poudre

50 g de poudre de noix
de coco

3 cuillerées à soupe
d'éclats de caramel au
beurre salé

10 cl de café fort

1- Mettre de côté la moitié du paquet de GALETTES ST MICHEL® et mixer le reste.

2- Faire fondre le chocolat et le beurre au bain-marie.

3- Égoutter les poires et les couper en petits dés puis les ajouter au chocolat.

4- Fouetter ensemble les œufs, le sucre et la poudre de noix de coco. Ajouter les morceaux de GALETTES ST MICHEL® et les éclats de caramel au beurre salé. Mélanger cet ensemble au chocolat et aux poires.

5- Tremper chaque galette dans le café fort.

6- Garnir un moule à cake de film alimentaire. Tapisser le fond du moule avec les galettes imbibées. Verser la moitié de la préparation et recouvrir d'une nouvelle couche de galettes puis terminer en versant le reste de la préparation.

7- Refermer le film alimentaire et placer le moule toute une nuit au réfrigérateur. Au moment de servir, renverser la terrine sur un plat à dessert.

TRUFFES

35 MIN DE PRÉPARATION – 5 MIN DE CUISSON

POUR 20 TRUFFES

200 g de chocolat noir

**4 GALETTES
ST MICHEL®**

1 cuillerée à soupe de
crème fraîche

5 cuillerées à soupe de
cacao en poudre, de
poudre de noix de coco,
de poudre de pistache ou
de poudre de vermicelles
multicolores

1- Dans une casserole, faire chauffer la crème fraîche et y faire
fondre le chocolat coupé en petits morceaux.
2- Réduire les GALETTES ST MICHEL® en miettes et les
mélanger au chocolat. Laisser refroidir la ganache.
3- Préparer le cacao en poudre ou les autres poudres
d'enrobage dans une assiette. Prélever une petite quantité de
ganache, la rouler dans la paume de la main pour la façonner
puis l'enrober dans la poudre de cacao.

REMERCIEMENTS

L'auteur remercie l'équipe de Marabout pour sa confiance
et tout particulièrement Marie-Eve Lebreton pour la constance de son soutien,
la qualité discrète de son travail et sa voix si douce au téléphone.

Avec la collaboration des GALETTES ST MICHEL®.

Shopping : Ilona Chovancova
Suivi éditorial : Marie-Eve Lebreton
Relecture : Véronique Dussidour
Mise en pages : Gérard Lamarche

© Hachette Livre (Marabout) 2012
ISBN : 978-2-501-07606-7
41-0352-9-03
Achevé d'imprimer en février 2012
sur les presses d'Impresia-Cayfosa en Espagne
Dépôt légal : janvier 2012